Level UR-FF

LE TR[illegible] D[illegible] BERMUDES

Géraldine Avi

Le Triangle des Bermudes se trouve dans l'Océan Atlantique, au sud-est des côtes de la Floride. C'est une vaste étendue d'océan de forme triangulaire, près de l'archipel britannique des Bermudes. La navigation y est très dangereuse. Des phénomènes étranges ainsi que de mystérieuses disparitions d'avions et de bateaux s'y seraient produits.
De nombreux livres ont été écrits sur le sujet mais le mystère du Triangle des Bermudes n'a jamais été élucidé.

Texte, exercices et notes Géraldine Avi
Editing Michelle Magritte

Dans les
LECTURES TRÈS FACILITÉES
on retrouve des histoires connues
par les enfants ou conçues exprès pour eux.
Elles sont écrites dans un langage simple et
accompagnées d'activités et de jeux.

La Spiga languages

Le Triangle des Bermudes

« Les enfants, un peu de silence s'il vous plaît. Voyons ..., Patrick ?
— Oui Madame.
— Où vas-tu en vacances cet été ? demanda le professeur.
— Aux Bermudes, Madame, répondit Patrick. — Aux Bermudes ! s'exclama le professeur. Et bien Patrick, le sujet de ton devoir[1] pour la rentrée[2] est le suivant : LE TRIANGLE DES BERMUDES ! »
Patrick nota soigneusement[3] le sujet dans son agenda. Il n'avait pas la moindre[4] idée de ce qui l'attendait aux Bermudes.

1. **devoir :** exercice écrit.
2. **rentrée :** retour à l'école après une période de vacances.
3. **soigneusement :** avec application.
4. **la moindre :** la plus petite.

ACTIVITÉ

✎ **Réponds aux questions sur le texte.**

Où se passe la scène ?

....

Quand ?

....

Où Patrick va-t-il en vacances ?

....

Que doit-il faire pour la rentrée scolaire ?

....

✎ **Complète les phrases avec la préposition *en* ou l'article contracté *au/aux* selon le cas.**

Ex. Je vais aux Bermudes.

Tu vas .... Grèce.
Il va .... Portugal.
Nous allons .... Canada.
Vous allez .... Chine.
Elles vont .... Etats-Unis.

Patrick et ses parents arrivèrent aux Bermudes en fin d'après-midi. Il faisait encore très chaud. Patrick avait hâte de[1] se débarrasser de[2] son devoir pour profiter du soleil et de la plage. Il descendit[3] la rue principale d'Hamilton, la capitale des Bermudes, à la recherche d'un magasin d'instruments de musique ! Patrick n'avait pas une très bonne culture générale. Il n'avait jamais entendu parler du Triangle des Bermudes.

1. **avoir hâte de :** être impatient de.
2. **se débarrasser de :** ici, se libérer d'une obligation.
3. **descendre :** parcourir de haut en bas.

ACTIVITÉ

✎ **Quel temps fait-il ? Observe les dessins et décris le temps qu'il fait. Utilise les phrases suivantes :**

Il pleut / il fait beau / il neige / le ciel est nuageux / il fait froid / il y a du soleil

....

....

....

....

Aujourd'hui, quel temps fait-il ?

....

Patrick entra[1] dans un magasin.
« Bonjour monsieur, est-ce que vous vendez des triangles ?
— Oui, bien sûr mon garçon. Quel genre de triangle cherches-tu ? demanda le vendeur.
— Le triangle des Bermudes, répondit le garçon.
— Ah non ! La plaisanterie[2] ne marche[3] pas. » Le vendeur appela sa fille.
« Claire ?
— Oui papa !
— Viens voir. Il y a quelqu'un pour toi, un petit malin[4] qui cherche le Triangle des Bermudes ! »

1. **entrer :** pénétrer dans un local.
2. **plaisanterie :** chose dite ou faite pour faire rire, amuser.
3. **marcher :** ici, fonctionner.
4. **malin :** ici, plaisantin, personne qui aime faire des plaisanteries.

ACTIVITÉ

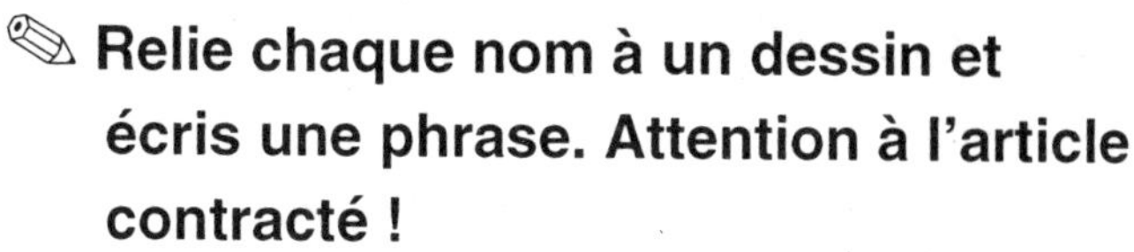

Relie chaque nom à un dessin et écris une phrase. Attention à l'article contracté !

Le piano

La flûte

La guitare

Le violon

Ex. Je joue du piano.

....

....

....

Réponds aux questions suivantes.

Pourquoi Patrick entre-t-il dans un magasin d'instruments de musique ?

....

Quelle est la réaction du vendeur ?

....

« Salut, moi c'est Claire, et toi ?
— Euh… oui pardon, Patrick.
— Alors, toi aussi tu t'intéresses au Triangle des Bermudes ? demanda la jeune fille.
— En fait, je ne sais encore rien sur ce "triangle". Je pensais que ton père pourrait m'aider[1], expliqua Patrick.
— Mon père ! ! Claire éclata de rire[2]. Suis-moi, je vais tout t'expliquer. »

1. **aider :** porter assistance, fournir un secours à.
2. **éclater de rire :** rire soudainement et très fort.

ACTIVITÉ

✎ **Complète les phrases avec une des formes verbales suivantes :**

pense / passe / doit / rencontre / entre / s'intéresse

1. Il .... dans un magasin d'instruments de musique.

2. Il .... faire un devoir sur le Triangle des Bermudes.

3. Patrick .... ses vacances aux Bermudes.

4. Il .... Claire.

5. Il .... que c'est un instrument de musique.

6. Elle .... aussi au Triangle des Bermudes.

✎ **Énonce les phrases dans l'ordre chronologique de l'histoire.**

....

Claire déplia[1] une carte géographique. « Regarde, le Triangle des Bermudes se trouve ici, au sud-est de la Floride. C'est une vaste étendue[2] d'océan de forme triangulaire. Voilà pourquoi on l'appelle ainsi.
— Et moi qui pensais faire mon devoir sur un banal instrument de musique ! Tu dois vraiment me trouver bête[3] ! » dit Patrick.
Claire poursuivit ses explications.
« Toutes sortes de phénomènes étranges[4] se sont produits dans cette zone.
— Des phénomènes étranges ? » répéta Patrick.

1. déplier : ouvrir.
2. étendue : superficie.
3. bête : sans intelligence.
4. étrange : qui n'est pas ordinaire, bizarre.

ACTIVITÉ

✎ **Regarde la carte. Localise les villes en utilisant les points cardinaux :**

au nord / au sud / à l'ouest / à l'est / au centre

Paris est au nord de Lyon.

Calais ....

....

....

....

....

....

....

✎ **Choisis deux villes de ton pays. Situe-les par rapport à la capitale.**

....

....

Claire avait lu beaucoup de livres sur les phénomènes inexpliqués et les mystérieuses disparitions dans le Triangle des Bermudes.
« Tu vois, les boussoles[1], par exemple, n'indiquent pas le nord. Les radios tombent en panne[2]. Les montres[3] s'arrêtent. Mais ce qu'il y a de plus grave… des bateaux et des avions ont disparu sans laisser la moindre trace.
— Tu veux dire que l'on n'a jamais retrouvé d'épaves[4] ? demanda Patrick.
— Oui, exactement », répondit Claire.

1. **boussole :** petite boîte contenant une aiguille qui indique le nord.
2. **tomber en panne :** ne pas fonctionner.
3. **montre :** petit appareil se portant généralement au poignet et qui indique l'heure.
4. **épaves :** restes d'un bateau, d'un avion etc., après un accident.

ACTIVITÉ

✎ **Complète avec la forme correcte de l'auxiliaire être ou avoir au passé composé.**

Patrick .... allé aux Bermudes.
Il .... entré dans un magasin d'instruments de musique.
Il .... rencontré Claire.
Elle .... lu beaucoup de livres sur le Triangle des Bermudes.
Elle lui .... donné des explications sur le sujet.

✎ **Réunis les éléments de chaque colonne pour former des phrases correctes.**

Nous	a	allés aux Bermudes
Je	sommes	parti en vacances
Il	as	fini son travail
Tu	suis	passé de bonnes vacances

Patrick était passionné par le discours de Claire. « Et des témoins[1] ? N'y a-t-il pas de témoins ?
— Tu veux dire des personnes qui savent quelque chose sur ces disparitions ? » demanda Claire. Elle réfléchit un instant. « Écoute, si le sujet t'intéresse vraiment, je crois savoir où nous pouvons aller. Suis-moi ! »
Claire et Patrick se dirigèrent[2] vers la capitainerie[3] du port.

1. **témoin :** personne qui a vu ou entendu quelque chose et qui peut le raconter.
2. **se diriger :** prendre la direction de.
3. **capitainerie :** bureau du capitaine d'un port.

ACTIVITÉ

✎ **Réponds comme dans l'exemple.**

Y a-t-il des témoins ? Oui, il y a des témoins / Non, il n'y a pas de témoins.

1. As-tu des informations sur les Bermudes ?

Oui, ...

2. Avez-vous lu des livres sur la région ?

Non, ...

3. A-t-on retrouvé des épaves ?

Non, ...

4. Ont-ils des amis à Hamilton ?

Oui, ...

« Pardon, nous pouvons entrer ?
— Bien sûr, venez ! répondit le capitaine. Qu'est-ce que je peux faire pour vous ?
— Voilà, mon ami aimerait avoir des informations sur les bateaux qui ont disparu dans le Triangle des Bermudes, expliqua Claire.
— Ah… Je vois. Et bien…, vous savez, cette zone de l'Atlantique est une des plus dangereuses[1] du monde. C'est là que les courants[2] océaniques les plus forts se rencontrent. La situation en mer peut changer d'un moment à l'autre. Et puis… beaucoup de personnes ne savent pas naviguer[3] ! »

1. **dangereux :** caractère de ce qui comporte un risque, une menace pour l'existence.
2. **courant :** mouvement d'énormes masses d'eau dans les fleuves et les mers.
3. **naviguer :** voyager sur l'eau.

ACTIVITÉ

✎ **Réponds aux questions sur le texte.**

Pourquoi Claire et Patrick vont-ils à la capitainerie ?

....

....

Comment le capitaine explique-t-il les disparitions de bateaux ?

....

....

Selon toi, pourquoi le capitaine hésite-t-il ?

....

....

✎ **Complète les phrases suivantes.**

(*fort*) Les courants océaniques les plus forts se rencontrent dans le Triangle des Bermudes.

(*intéressant*) J'ai mis de côté les revues

....

(*studieux*) Claire et Marie sont les élèves .... de la classe.

Patrick n'était pas satisfait des explications du capitaine. « C'est une zone dangereuse, d'accord. Mais ces avions ? Et ces bateaux ? Ils se sont volatilisés[1] comme par magie[2] ? Comment expliquez-vous ça ?» demanda Patrick.
Le capitaine était visiblement embarrassé. « Ecoutez, si un bateau ou un avion disparaît, je vous appelle, d'accord ?
— Bon, entendu[3], dit Patrick, mais c'est promis, vous nous appelez ?
— OUI ! Et maintenant filez[4], OUST ! »

1. **se volatiliser :** disparaître.
2. **comme par magie :** d'une manière inexplicable, incompréhensible.
3. **entendu :** ici, d'accord.
4. **filer :** (fam.) partir rapidement.

ACTIVITÉ

✎ **Trouve les questions aux réponses suivantes :**

....?

Il va en vacances aux Bermudes.

....?

Parce qu'il doit faire un devoir sur ce sujet.

....?

Non, il n'a pas encore d'informations sur la région.

....?

Près de l'archipel des Bermudes.

✎ **Souligne les adjectifs qui correspondent au caractère de Patrick.**

Il est : curieux / distrait / naïf / passionné / timide / attentif / patient / prétentieux

Et toi ? Quels sont les adjectifs qui correspondent le mieux à ta personnalité ?

....

Le lendemain les deux amis se retrouvèrent devant le port.
« Salut Claire, ça va ? demanda Patrick.
— Oui ..., ça va. » Cependant Claire semblait préoccupée.
« Tu en fais une drôle de tête[1]. Tu es sûre que ça va ? » demanda Patrick.
Claire se décida enfin à parler. « Ouvre bien tes oreilles[2]. Le capitaine m'a téléphoné ce matin !
— Non, ce n'est pas possible ! Raconte ! » s'exclama Patrick.

1. **drôle de tête (avoir/faire une) :** ne pas être dans son état normal, être bizarre.
2. **ouvrir ses oreilles (fam.) :** écouter attentivement.

ACTIVITÉ

✎ **Indique la position de chaque objet.**
Utilise les prépositions suivantes :

devant / sur / sous / dans

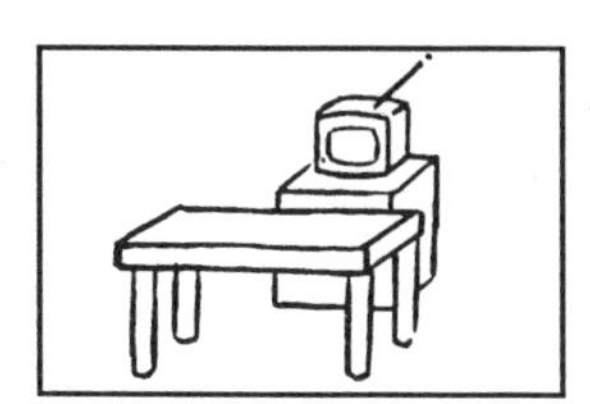

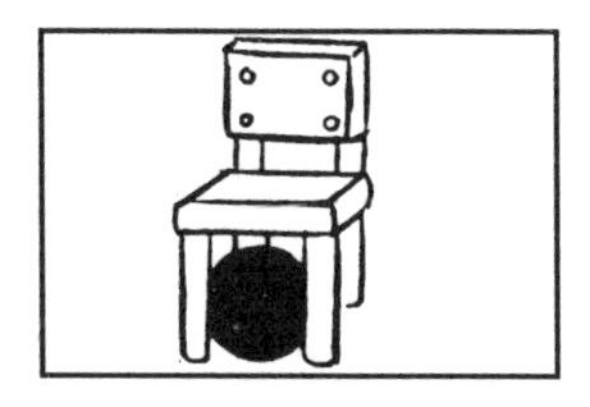

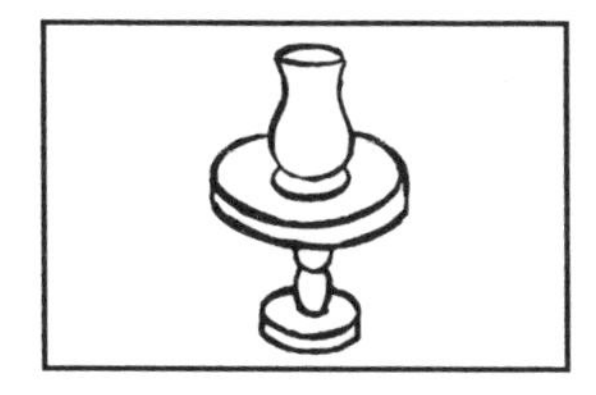

Les livres sont ....

La table est ....

Le vase est ....

Le ballon est ....

✎ **Pourquoi le capitaine a-t-il téléphoné à Claire ?**

....

....

« Voilà, un bateau a disparu à vingt milles nautiques[1] d'ici. C'est un yacht. À bord il y a quatre personnes. Le dernier contact-radio avec le port remonte à[2] hier matin. Depuis[3] la capitainerie n'a plus de nouvelles. À quatorze heures le capitaine part faire des recherches. »
Claire s'arrêta de parler.
« Et alors, c'est tout ? demanda Patrick.
— Non… Si nos parents sont d'accord, nous pouvons l'accompagner !
— Ouah, génial ! ! » s'exclama Patrick.

1. **mille nautique :** unité de mesure pour le calcul des distances en navigation maritime et aérienne.
2. **remonter à :** dater de.
3. **depuis :** à partir de ce moment.

ACTIVITÉ

 **Identifie les différents types d'embarcations.**

un yacht / un navire de croisière / un canoë / un voilier.

C'est un ....

....

✎ **Es-tu déjà monté à bord d'un bateau ? Lequel ? Raconte ton expérience.**

....

....

....

À treize heures trente Claire et Patrick attendaient déjà devant le bureau de la capitainerie. Ils avaient obtenu la permission de leurs parents. À quatorze heures le bateau de sauvetage[1] de la capitainerie quitta le port. La mer était plutôt agitée. Le soleil jouait à cache-cache[2] avec les nuages.

« Alors Patrick, tu es bien pâle[3], dit le capitaine, ça ne va pas ?

— Non, non… ça va. Oooh ! ! » Patrick avait le mal de mer[4].

1. **bateau de sauvetage :** embarcation pour porter assistance et secours en mer.
2. **cache-cache :** jeu dans lequel les enfants se cachent. Un enfant doit découvrir les autres.
3. **pâle :** ici, avec la peau du visage peu colorée.
4. **mal de mer :** sensations désagréables éprouvées en bateau (nausée, tête qui toume...).

ACTIVITÉ

✎ **Coche d'une croix VRAI ou FAUX à côté de chaque affirmation.**

	V	F
Claire et Patrick arrivent en retard à la capitainerie.		✖
Le bateau de la capitainerie part à quatorze heures.		
La mer est calme.		
Patrick ne se sent pas bien.		

✎ **Corrige les affirmations fausses.**

....

....

....

Ils étaient à présent en pleine mer[1]. Tout n'était qu'horizon[2] autour du bateau. Ils arrivèrent au lieu présumé de la disparition du yacht. Le capitaine commença les recherches grâce aux différents instruments dont il disposait à bord. Au bout d'une[3] demi-heure :

« Alors capitaine, toujours rien ? demanda Claire.

— Non. Je crois que nous ferions mieux de rentrer au port. La mer devient trop agitée. »

Claire était déçue. Patrick, lui, avait hâte de remettre pied à terre !

1. **en pleine mer :** loin des côtes.
2. **horizon :** ligne imaginaire où le ciel et la terre, ou la mer, se rencontrent.
3. **au bout de :** après une durée de....

ACTIVITÉ

✎ **Réponds aux questions.**

Selon toi, de quels instruments dispose le capitaine pour les recherches ?

....

....

Pourquoi le capitaine décide-t-il de rentrer au port ?

....

....

Pourquoi Patrick est-il impatient de remettre pied à terre ?

....

....

✎ **Chasse à l'intrus ! Souligne le terme qui n'a rien à voir avec les autres.**

1. ramer - voler - couler - naviguer.
2. voile - ancre - roue - mât.
3. plonger - nager - marcher - flotter.

Le capitaine remit les moteurs en marche. Soudainement le bateau se retrouva au milieu d'un épais brouillard[1]. La visibilité était nulle, la mer de plus en plus agitée.
« Capitaine, que se passe-t-il ? demanda Claire.
— Vite capitaine ! Il faut sortir de là ! cria Patrick.
— Du calme, du calme ! dit le capitaine. Je vais contacter les garde-côtes[2]. Ils vont venir à notre rencontre. »
Mais toutes les fréquences de la radio étaient brouillées[3] : impossible de joindre[4] les garde-côtes !

1. **brouillard :** vapeur d'eau en suspension dans l'air formant un nuage qui limite la visibilité.
2. **garde-côte :** personne chargée de la sécurité et du contrôle des bateaux près des côtes.
3. **brouiller :** perturber.
4. **joindre :** ici, contacter.

ACTIVITÉ

 **Observe attentivement les dessins et complète les phrases.**

(*étudier*) Il faut étudier.

(*faire attention*) ....
....

(*manger*) ....
....

(*ne pas toucher*) ....
....

Que faut-il faire dans ces situations ?

La voiture est en panne : ....
Les vêtements sont sales : ....
Le professeur parle : ....

Le bateau de sauvetage réussit finalement à rentrer au port. Claire, Patrick et le capitaine étaient sains et saufs[1]. « Capitaine ! Nous avons retrouvé l'embarcation, dit un officier de la capitainerie.
— Bien ! Et les passagers du yacht ? demanda le capitaine.
— Les passagers ? Le yacht ? Je ne comprends pas capitaine. Nous avons retrouvé un vieux bateau avec un pêcheur[2] ! ! dit l'officier.
— Alors capitaine, vous m'aidez à rédiger[3] mon devoir ? demanda Patrick sur un ton ironique. J'ai déjà trouvé le titre : "Mystérieuses disparitions dans le Triangle des Bermudes ! !"

1. **sain et sauf :** sorti indemne d'un danger.
2. **pêcheur :** personne qui pratique la pêche, qui prend du poisson.
3. **rédiger :** écrire.

ACTIVITÉ

✎ **Réponds aux questions :**

Claire, Patrick et le capitaine sont-ils blessés ?

....

Le yacht a-t-il été retrouvé ?

....

Quelle est l'attitude du capitaine tout le long de l'histoire?

....

....

Pourquoi Patrick parle-t-il au capitaine sur un ton ironique ?

....

....

✎ **Emets des hypothèses sur la disparition du yacht.**

....

....

....

• LECTEURS EN HERBE • EN COULEURS •

Béril	ASTRELIX DANS L'ESPACE
Lutun	ZAZAR
Moulin	LE COMTE DRACULA
Moulin	NESSIE LE MONSTRE
Moulin	ROBIN DES BOIS
Vincent	LA FAMILLE FANTOMAS

• PREMIÈRES LECTURES •

Aublin	LE RIFIFI
Aublin	MERLIN L'ENCHANTEUR
Aublin	SCARAMOUCHE
Avi	LE TITANIC
Brunhoff	L'ÉLÉPHANT BABAR
Busch	MAX ET MAURICE
Cabline	VERCINGÉTORIX
Capatti	JOUEZ avec la GRAMMAIRE FRANÇAISE
Daudet	LA CHÈVRE DE M. SEGUIN
Dumas	LES TROIS MOUSQUETAIRES
Dutrois	L'ACCIDENT !
Dutrois	OÙ EST L'OR ?
Germain	LE PETIT DRAGON
Gilli	MÉDOR ET LES PETITS VOYOUS
Grimm	CENDRILLON
Grimm	LES GNOMES
Hutin	LA MAISON DES HORREURS
La Fontaine	LE LIÈVRE ET LA TORTUE
Leroy	LES AVENTURES D'HERCULE
Les 1001 Nuits	ALI BABA ET LES 40 VOLEURS
Messina	LE BATEAU-MOUCHE
Perrault	LE PETIT CHAPERON ROUGE
Stoker	DRACULA

• PREMIÈRES LECTURES • EN COULEURS •

Arnoux	LE MONSTRE DE LOCH NESS
Andersen	LES HABITS DE L'EMPEREUR
Grimm	HANSEL ET GRETEL
Hugo	LE BOSSU DE NOTRE-DAME
Laurent	LE DRAGON DORMEUR
Laurent	POCAHONTAS
Pellier	LE VAMPIRE GOGO

• LECTURES TRÈS FACILITÉES •

Aublin	FRANKENSTEIN contre DRACULA
Avi	LE COMMISSAIRE
Avi	LE TRIANGLE DES BERMUDES
Cabline	NAPOLÉON BONAPARTE
Capatti	JOUEZ avec la GRAMMAIRE FRANÇAISE
Cavalier	LES MÉSAVENTURES DE RENART
Ducrouet	NUIT DE NOËL
Géren	LE BATEAU VIKING
Géren	LE MONSTRE DES GALAPAGOS
Germain	LE VAMPIRE
Gilli	UN CŒUR D'ENFANT
Gilli	PARIS-MARSEILLE VOYAGE EN T.G.V.
Hémant	MARIE CURIE
Hutin	LE MYSTÈRE DE LA TOUR EIFFEL
Laurent	UN VOLONTAIRE DANS L'ESPACE
Leroy	ANACONDA, LE SERPENT QUI TUE
Mass	LA CHASSE AU TRÉSOR
Mass	OÙ EST L'ARCHE DE NOÉ?
Mérimée	LA VÉNUS D'ILLE
Messina	GRISBI

• LECTURES TRÈS FACILITÉES •

Arnoux	BONNIE ET CLYDE • FUITE D'ALCATRAZ
Aublin • Wallace	SISSI • BEN HUR
Avi • Doyle	PIRATES • LA MOMIE
Cabline	LES CHEVALIERS DU ROI ARTHUR
Germain • Saino	HALLOWEEN • LE MASQUE
Hoffmann	PIERRE L'ÉBOURIFFÉ
Hutin	LES COPAINS
Pellier	LE REQUIN • HISTOIRES FANTÔMES
Perrault • Leroux	BARBE BLEU • FANTÔME de l'OPÉRA

• LECTURES FACILITÉES •

Beaumont	LA BELLE ET LA BÊTE
Capatti	JOUEZ avec la GRAMMAIRE FRANÇAISE
Capatti	PEARL HARBOR
Daudet	TARTARIN DE TARASCON
Dumas	LES TROIS MOUSQUETAIRES
Flaubert	MADAME BOVARY
Forsce	JACK L'ÉVENTREUR
Fraîche	LA BATAILLE D'ALGER
Fraîche	LES MYSTÈRES DE LA BASTILLE
Gautier	CAPITAINE FRACASSE
Géren	LA MOMIE
Géren	LES DENTS DE DRACULA
Giraud	L'HISTOIRE D'ANNE FRANK
Juge	FUITE DE LA CAYENNE
Juge	JEANNE D'ARC
Malot	SANS FAMILLE
Martini	LA CHANSON DE ROLAND
Martini	LE ROMAN DE RENART
Martini	LE FANTÔME à Chenonceaux
Mass	FUITE DE SING-SING
Maupassant	BOULE DE SUIF
Maupassant	UNE VIE
Mercier	CONTES D'AFRIQUE
Mercier	L'AFFAIRE DREYFUS
Mercier	L'EUROTUNNEL
Molière	LE MALADE IMAGINAIRE
Mounier	STALINGRAD
Pergaud	LA GUERRE DES BOUTONS
Perrault	LE CHAT BOTTÉ
Rabelais	GARGANTUA ET PANTAGRUEL
Radiguet	LE DIABLE AU CORPS
Renard	POIL DE CAROTTE
Rostand	CYRANO DE BERGERAC
Sand	LA MARE AU DIABLE
Sand	LA PETITE FADETTE
Ségur	MÉMOIRES D'UN ÂNE
Terrail	LES EXPLOITS DE ROCAMBOLE
Troyes	PERCEVAL
Verne	DE LA TERRE À LA LUNE
Verne	LE TOUR DU MONDE EN 80 JOURS
Verne	20 000 LIEUES SOUS LES MERS

• LECTURES FACILITÉES •

Beaumarchais • Fraîche	FIGARO • ROBESPIERRE
Beaum • Hugo	BARBIER SÉVILLE • MISÉRABLES
Forsce	RICHARD CŒUR DE LION
Fraîche	CHARLEMAGNE
Loti • Messina	PÊCHEUR • JOCONDE
Mercier • Renard	CONTES • POIL DE CAROTTE
Molière	TARTUFFE
Saino • Juge	ORIENT EXPRESS • ANDES
Ségur • Pergaud	MÉMOIRES ÂNE • GUERRE

• LECTURES SANS FRONTIÈRES •

Balzac	LE PÈRE GORIOT
Béguin	AMISTAD
Béguin (SANS CASSETTE/CD)	JOUEZ avec la GRAMMAIRE FRANÇAISE
Combat	HALLOWEEN
Diderot	JACQUES LE FATALISTE
Dumas	LA DAME AUX CAMÉLIAS
Flaubert	L'ÉDUCATION SENTIMENTALE
Flaubert	MADAME BOVARY
France	LE LIVRE DE MON AMI
Hugo	NOTRE-DAME DE PARIS
Iznogoud	JACK L'ÉVENTREUR
Maupassant	BEL-AMI
Messina	JEANNE D'ARC
Messina	MATA HARI
Molière	L'ÉCOLE DES FEMMES
Proust	UN AMOUR DE SWANN
Sampeur	RAPA NUI
Stendhal	LE ROUGE ET LE NOIR
Térieur	LE TRIANGLE des BERMUDES
Zola	GERMINAL
Zola	THÉRÈSE RAQUIN

• AMÉLIORE TON FRANÇAIS •

Alain-Fournier	LE GRAND MEAULNES
Anouilh	BECKET
Balzac	L'AUBERGE ROUGE
Balzac	L'ÉLIXIR DE LONGUE VIE
Balzac	NAPOLÉON DU PEUPLE
Baudelaire	LA FANFARLO
Corneille	LE CID
Daudet	LETTRES DE MON MOULIN
Duras	AGATHA
Flaubert	UN CŒUR SIMPLE
Gautier	LA MORTE AMOUREUSE
Hugo	Le DERNIER JOUR d'un CONDAMNÉ
La Fontaine	FABLES
Maupassant	LE PETIT FÛT
Molière	L'AVARE
Molière	L'AMOUR MÉDECIN
Molière	TARTUFFE
Molière	LES PRÉCIEUSES RIDICULES
Perrault	CONTES
Prévost	MANON LESCAUT
Rousseau	RÊVERIES DU PROMENEUR SOLITAIRE
Simenon	LES 13 ÉNIGMES
Stendhal	LES CENCI
Stendhal	HISTOIRES D'AMOUR
Voltaire	MICROMÉGAS

• CLASSIQUES DE POCHE •

Baudelaire	LE SPLEEN DE PARIS
Duras (SANS CASS./CD)	L'AMANT
Hugo	LA LÉGENDE DU BEAU PÉCOPIN
La Fayette	LA PRINCESSE DE CLÈVES
Maupassant (SANS CASS./CD)	CONTES FANTASTIQUES
Pascal	PENSÉES
Proust	VIOLANTE OU LA MONDANITÉ
Sagan (SANS CASS./CD)	BONJOUR TRISTESSE
Simenon (SANS CASS./CD)	L'AMOUREUX DE MME MAIGRET
Voltaire	CANDIDE

 • IMPRIMÉ EN ITALIE PAR **TECHNO MEDIA REFERENCE** • MILAN
DISTRIBUÉ PAR **MEDIALIBRI** • VIA IDRO 38, 20132 MILAN • ITALIE • TÉL. 02 27207255 • FAX 02 2567179